W0206669

PETITS FOURS SALÉS

LAROUSSE

21 rue du Montparnasse 75283 Paris Cedex 06

SOMMAIRE

Gressins au curry

POUR 24 GRESSINS
PRÉPARATION : 30 MIN
REPOS : 1 H 40
CUISSON : 10 À 15 MIN

> 13 cl d'eau tiède
> 1 cuill. à café de levure de boulanger
> 225 g de farine
> 1 cuill. à soupe bombée de curry en poudre
> 1 cuill. à café de sel fin
> 2 cuill. à soupe d'huile d'olive

1. Préchauffez le four à 180 °C (therm. 6) et tapissez une plaque de cuisson de papier sulfurisé. Mélangez l'eau tiède avec la levure, puis laissez reposer 10 minutes. Dans un saladier, mélangez la farine, le curry et le sel, puis creusez un puits au centre du mélange et incorporez progressivement la levure diluée. Travaillez le tout à la main jusqu'à obtention d'une boule de pâte souple et homogène, puis versez l'huile d'olive. Pétrissez la pâte énergiquement pendant environ 10 minutes jusqu'à ce qu'elle soit chaude entre vos mains. Recouvrez-la d'un torchon propre et laissez-la reposer pendant 1 heure 30, dans un endroit tiède.

2. Lorsque la pâte est gonflée, étalez-la sur le plan de travail fariné, puis coupez-la en 24 bandes de 1 cm de large. Roulez les bandes de pâte sur elles-mêmes – elles doivent mesurer environ 20 cm de long. Disposez-les sur la plaque de cuisson. Enfournez et faites cuire de 10 à 15 minutes, jusqu'à ce que les gressins soient dorés. Laissez-les refroidir sur une grille, puis servez-les à température ambiante.

Cornets de mousse de courgette

POUR 12 CORNETS
PRÉPARATION : 30 MIN
RÉFRIGÉRATION : 1 H
CUISSON : 25 MIN

> 20 g de beurre
> 3 feuilles de brik

Pour la mousse de courgette

> 1/2 feuille de gélatine
> 2 courgettes
> 60 g de parmesan
> 2 cuill. à soupe de pesto
> 1 cuill. à soupe de crème fraîche épaisse
> sel et poivre du moulin

1. Préparez la mousse de courgette. Plongez la feuille de gélatine dans un bol d'eau froide, puis égouttez-la. Détaillez les courgettes en rondelles et faites-les cuire 15 minutes à la vapeur. Râpez le parmesan. Dans le bol d'un robot, réunissez les courgettes, le pesto, la crème fraîche et le parmesan, puis salez et poivrez. Mixez le tout et versez la préparation dans une casserole. Portez à petite ébullition, éteignez aussitôt le feu, puis incorporez la gélatine. Mélangez bien et laissez tiédir à température ambiante, puis placez au réfrigérateur pendant 1 heure.

2. Préchauffez le four à 180 °C (therm. 6). Dans une casserole, faites fondre le beurre à feu doux. Coupez chaque feuille de brik en quatre triangles et badigeonnez-les de beurre des deux côtés, puis roulez-les de façon à former un cône. Garnissez-les d'une feuille d'aluminium afin qu'ils ne s'affaissent pas pendant la cuisson, puis enfournez pour 5 minutes, jusqu'à ce qu'ils soient bien dorés. Laissez tiédir, puis ôtez la feuille d'aluminium.

3. Versez la mousse de courgette dans une poche à douille cannelée, puis garnissez-en les cônes de brik. Poivrez et servez.

Pas besoin d'être un chef étoilé pour réussir ces magnifiques bouchées !

Pétales de pomme verte et de courgette

POUR 12 BOUCHÉES

PRÉPARATION : 20 MIN

> 3 courgettes
> 3 pommes granny smith
> le jus de 1/2 citron
> 1 petit bouquet de ciboulette
> 1 cuill. à café de vinaigre balsamique
> 2 cuill. à soupe d'huile d'olive
> sel du moulin

1. Épluchez les courgettes, puis détaillez-les en bandes très fines, à l'aide d'une mandoline, sans aller jusqu'au cœur.

2. Pelez les pommes, puis coupez-les en lamelles. Arrosez celles-ci de jus de citron pour éviter qu'elles noircissent.

3. Ciselez la ciboulette. Dans un bol, réunissez le vinaigre balsamique, l'huile d'olive et la ciboulette ciselée. Mélangez le tout, salez, versez la vinaigrette sur les courgettes et les pommes, puis mélangez de nouveau.

4. Roulez les bandes de courgette sur elles-mêmes, puis placez joliment les lamelles de pommes à l'intérieur et servez.

Vous pouvez réaliser cette recette avec toutes sortes de tartinades : anchoïade, aïoli, ou encore pesto, par exemple.

Palmiers aux deux tapenades

POUR 40 PALMIERS ENVIRON

PRÉPARATION : 15 MIN

CONGÉLATION : 30 MIN

CUISSON : 15 À 20 MIN

> 2 pâtes feuilletées prêtes à étaler
> 100 g de tapenade verte
> 100 g de tapenade noire

1. Préchauffez le four à 200 °C (therm. 6-7) et tapissez une plaque de cuisson de papier sulfurisé. Étalez une pâte feuilletée sur le plan de travail, puis couvrez-la uniformément de tapenade verte. Rabattez deux côtés opposés de la pâte en les roulant sur eux-mêmes vers le centre – la pâte enveloppera la tapenade en formant des volutes. Renouvelez l'opération avec l'autre pâte feuilletée et la tapenade noire. Enveloppez les rouleaux ainsi obtenus dans un film alimentaire et placez-les au congélateur pour 30 minutes.

2. Sortez les rouleaux du congélateur, détaillez-les en rondelles de 1,5 cm d'épaisseur environ, puis déposez celles-ci sur la plaque de cuisson. Enfournez et faites dorer de 15 à 20 minutes, jusqu'à ce que les palmiers soient gonflés. Laissez-les refroidir sur une grille, puis servez-les à température ambiante.

Petits choux à la crème épicée

POUR 40 PETITS CHOUX ENVIRON

PRÉPARATION : 25 MIN

CUISSON : 35 MIN

Pour la pâte à choux

> 1 1/2 cuill. à café de sel
> 1 1/2 cuill. à café de sucre en poudre
> 60 g de beurre
> 120 g de farine
> 4 œufs

Pour la garniture

> 6 cuill. à soupe de crème fraîche épaisse
> 6 cuill. à soupe de mascarpone
> 1/2 cuill. à café de quatre-épices
> sel et poivre du moulin

1. Préchauffez le four à 220 °C (therm. 7-8) et tapissez une plaque de cuisson de papier sulfurisé.

2. Préparez la pâte à choux. Dans une casserole, versez 20 cl d'eau, ajoutez le sel, le sucre et le beurre, puis portez à ébullition. Tamisez la farine et incorporez-la au mélange en une seule fois, en remuant avec une spatule. Laissez sécher la pâte sur le feu pendant 2 minutes sans cesser de remuer. Retirez du feu, puis incorporez les œufs un par un, jusqu'à ce que la pâte ait tout absorbé.

3. À l'aide d'une cuillère, dressez des noix de pâte sur la plaque de cuisson, puis enfournez pour 15 minutes. Baissez la température du four à 200 °C (therm. 6-7) et prolongez la cuisson 15 minutes, jusqu'à ce que les choux soient dorés. Sortez-les du four, puis laissez-les refroidir.

4. Préparez la garniture. Dans un saladier, réunissez la crème et le mascarpone. Salez, poivrez, puis mélangez le tout. Incorporez le quatre-épices. Remplissez une poche à douille fine et lisse de cette préparation. Pratiquez un trou sous chaque petit chou, puis garnissez-les de crème épicée. Servez aussitôt.

Remplacez les traditionnels gâteaux apéritifs par ces petites allumettes croustillantes à souhait.
Vous pourrez, s'il en reste, les conserver quelques jours dans une boîte hermétique.

Allumettes au parmesan et au pavot

POUR 50 ALLUMETTES ENVIRON

PRÉPARATION : 10 MIN

CUISSON : 10 MIN

> 20 g de parmesan
> 1 pâte feuilletée prête à étaler
> 1 œuf
> 3 cuill. à soupe de graines de pavot

1. Préchauffez le four à 180 °C (therm. 6). Râpez le parmesan. Étalez la pâte feuilletée sur le plan de travail et parsemez-la de parmesan. Repliez les quatre bords vers l'intérieur en faisant se superposer les côtés afin d'enfermer le parmesan dans la pâte, puis aplatissez-la avec précaution à l'aide d'un rouleau à pâtisserie afin de l'étendre à nouveau. À l'aide d'une roulette à pizza, découpez des rectangles de pâte de 1 cm × 4 cm.

2. Dans un bol, battez l'œuf, puis badigeonnez-en les rectangles de pâte au pinceau. Parsemez de pavot et enfournez pour 10 minutes, jusqu'à ce que les allumettes soient bien dorées. Laissez-les refroidir sur une grille, puis servez-les à température ambiante.

Le tempura est une pâte à beignets japonaise très légère. Sa consistance délicate permet de préserver le goût des légumes ou des crevettes qu'elle enrobe.

Tempura de légumes

POUR 24 BEIGNETS DE LÉGUMES ENVIRON

PRÉPARATION : 10 MIN

RÉFRIGÉRATION : 1 H

CUISSON : 15 MIN

> 4 champignons de Paris
> 125 g d'asperges
> 125 g de pois gourmands
> 1/2 patate douce
> 1 l d'huile de pépins de raisin

Pour la pâte

> 100 g de farine
> 1 cuill. à café de levure chimique
> 1 jaune d'œuf
> 15 cl d'eau glacée

1. Lavez et séchez les légumes, puis saupoudrez-les légèrement de farine.

2. Préparez la pâte. Mélangez la farine et la levure dans un saladier, puis creusez un puits au centre. Dans un bol, mélangez le jaune d'œuf avec l'eau glacée, puis versez-les dans le puits. Remuez brièvement à la fourchette – la pâte doit rester grumeleuse –, puis laissez reposer 1 heure au réfrigérateur.

3. Emplissez un wok ou une friteuse d'huile de pépins de raisin et faites chauffer à 180 °C. Trempez rapidement les légumes dans la pâte, puis faites-les frire dans l'huile 2 ou 3 minutes. Égouttez-les sur du papier absorbant et servez.

Feuilles de vigne farcies

POUR 30 FEUILLES DE VIGNE

PRÉPARATION : 25 MIN

CUISSON : 1 H 30

> 30 feuilles de vignes
> 2 oignons
> 10 cl d'huile d'olive
> 100 g de riz long grain
> 2 cuill. à soupe de raisins secs
> 2 cuill. à soupe de pignons
> 1 poignée de feuilles de menthe
> 1 filet de jus de citron
> sel et poivre du moulin

1. Portez une casserole d'eau salée à ébullition, puis plongez-y les feuilles de vigne 1 minute. Égouttez-les, puis séchez-les avec du papier absorbant. Mettez les raisins secs à tremper dans de l'eau tiède, puis égouttez-les.

2. Pelez les oignons, puis hachez-les, ainsi que les feuilles de menthe. Dans une poêle, faites chauffer 3 cuillerées à soupe d'huile d'olive, puis faites revenir les oignons. Ajoutez le riz, remuez jusqu'à ce que les grains soient translucides, puis mouillez de 25 cl d'eau salée, couvrez et laissez cuire environ 20 minutes, jusqu'à absorption complète du liquide. Ajoutez les raisins secs, les pignons, les feuilles de menthe et le jus de citron, puis assaisonnez de sel et de poivre.

3. Étalez les plus belles feuilles de vigne sur le plan de travail, puis déposez 1 cuillerée à soupe de farce au centre de chacune. Rabattez les feuilles vers le centre, puis roulez-les sur la farce pour obtenir des rouleaux assez fins. Tapissez une grande cocotte à fond épais du reste de feuilles de vigne, arrosez d'un filet d'huile d'olive et déposez les feuilles farcies en une seule couche. Versez le reste de l'huile d'olive ainsi que 15 cl d'eau sur le tout, couvrez et laissez mijoter 1 heure à feu doux. Servez froid.

Voici une recette saine et savoureuse dont une variante plus légère peut être cuisinée sans crème et sans moutarde.

Mini-concombres farcis aux noix

POUR 12 BOUCHÉES
PRÉPARATION : 20 MIN
ÉGOUTTAGE : 30 MIN
CUISSON : 10 MIN

- 3 mini-concombres
- 100 g de riz long grain
- 100 g de cerneaux de noix
- 1 cuill. à soupe de persil
- 1 poignée d'olives noires dénoyautées
- 2 cuill. à soupe de crème fraîche
- 1 cuill. à café de moutarde
- 1 filet de jus de citron
- sel et poivre du moulin

1. Pelez les mini-concombres, puis coupez-les en tronçons. Creusez-les à l'aide d'une petite cuillère, saupoudrez-les légèrement de sel, puis retournez-les et laissez-les égoutter pendant 30 minutes.

2. Portez à ébullition une casserole d'eau salée, puis faites cuire le riz 10 minutes. Égouttez-le et réservez.

3. À l'aide d'un gros couteau, concassez grossièrement les cerneaux de noix, puis hachez le persil et les olives. Dans un saladier, réunissez la crème fraîche, la moutarde, le persil et les cerneaux de noix, puis mélangez délicatement le tout. Assaisonnez de sel et de poivre, puis incorporez le jus de citron et les olives hachées. Mélangez cette préparation avec le riz, farcissez-en les mini-concombres, puis servez.

Servez ces falafels avec un pain pita et une petite sauce faite de tahini (purée de sésame vendue dans les épiceries orientales) allongé de la même quantité d'eau et d'un peu de jus de citron.

Falafels aux fèves

POUR 12 FALAFELS
PRÉPARATION : 15 MIN
CUISSON : 5 MIN

> 2 gousses d'ail
> 1 bouquet de persil plat
> 250 g de fèves épluchées surgelées
> 1 cuill. à soupe de farine
> 2 cuill. à café de levure chimique
> 1 cuill. à café de ras el-hanout (mélange d'épices marocaines)
> huile végétale pour la friture
> sel du moulin

1. Pelez les gousses d'ail, puis coupez-les en quatre. Lavez le persil plat, puis séchez-le. Dans le bol d'un robot, hachez l'ail avec le persil plat, puis ajoutez les fèves, la farine, la levure et le ras el-hanout. Mixez le tout, salez, puis façonnez des boulettes plates avec la préparation.

2. Emplissez une grande casserole à fond épais au tiers d'huile, puis faites-la chauffer à 180 °C. Mettez à frire les falafels 5 minutes, jusqu'à ce qu'ils soient dorés et croustillants. Égouttez-les sur du papier absorbant et servez immédiatement.

Cette recette porte le nom de « suppli al telefono » à cause des fils de fromage qui s'étirent lorsque l'on croque dedans…

Croquettes à la mozzarella

POUR 12 CROQUETTES
PRÉPARATION : 15 MIN
CUISSON : 35 À 40 MIN

> 35 cl de bouillon de légumes ou de volaille
> 25 g de beurre
> 125 g de riz arborio pour risotto
> 10 cl de vin blanc
> 1 œuf
> 125 g de mozzarella spéciale cuisson
> 50 g de farine
> 50 g de chapelure
> huile végétale pour la friture

1. Dans une casserole, portez à ébullition le bouillon de légumes ou de volaille, puis réduisez le feu et laissez frémir. Dans une sauteuse, faites fondre le beurre, puis faites revenir le riz en remuant à la spatule jusqu'à ce qu'il soit translucide. Versez le vin blanc, puis laissez-le s'évaporer. Versez 1/3 du bouillon et laissez le riz l'absorber complètement avant de renouveler l'opération jusqu'à épuisement du bouillon. Le riz doit être cuit, tendre et crémeux en 15 à 20 minutes. Retirez la casserole du feu, puis laissez refroidir.

2. Dans un saladier, battez l'œuf. Coupez la mozzarella en dés. Farinez vos mains, puis formez des boulettes de riz d'environ 4 cm de diamètre. Avec le pouce, faites un creux dans chaque boulette, puis placez-y un dé de mozzarella. Roulez les boulettes dans la farine, puis dans l'œuf battu et dans la chapelure.

3. Emplissez une grande casserole à fond épais au tiers d'huile et faites chauffer à 180 °C. Faites frire les croquettes quelques minutes en les retournant avec une écumoire, jusqu'à ce qu'elles soient dorées. Égouttez-les sur du papier absorbant et servez-les immédiatement.

Petits choux à la ricotta et au pesto

POUR 24 PETITS CHOUX ENVIRON

PRÉPARATION : 20 MIN

CUISSON : 35 MIN

Pour la pâte à choux

> 1 1/2 cuill. à café de sel
> 1 1/2 cuill. à café de sucre en poudre
> 60 g de beurre
> 120 g de farine
> 4 œufs

Pour la garniture

> 250 g de ricotta
> 1 cuill. à soupe d'huile d'olive
> 2 cuill. à soupes de pesto
> sel et poivre du moulin

1. Préparez la pâte à choux. Préchauffez le four à 220 °C (therm. 7-8) et tapissez une plaque de cuisson de papier sulfurisé. Dans une casserole, versez 20 cl d'eau, ajoutez le sel, le sucre et le beurre, puis portez à ébullition. Tamisez la farine, puis incorporez-la au mélange en une seule fois, en remuant avec une spatule. Laissez sécher la pâte sur le feu pendant 2 minutes sans cesser de remuer. Retirez du feu, puis incorporez les œufs un à un.

2. À l'aide d'une cuillère, dressez des noix de pâte sur la plaque de cuisson, puis enfournez pour 15 minutes. Baissez la température du four à 200 °C (therm. 6-7) et prolongez la cuisson de 15 minutes, jusqu'à ce que les choux soient dorés. Sortez-les du four, puis laissez-les refroidir.

3. Préparez la garniture. Fouettez rapidement la ricotta avec l'huile d'olive, salez, poivrez, puis mélangez bien le tout. Ajoutez le pesto et mélangez grossièrement afin que la préparation soit marbrée. Coupez les choux en deux, puis garnissez-les de ricotta au pesto à l'aide d'une cuillère. Servez aussitôt.

Voici une recette facile à faire en famille. N'hésitez pas à remplacer le fromage par de la tapenade noire ou verte par exemple.

Feuilletés au roquefort et au gruyère

POUR 24 FEUILLETÉS
PRÉPARATION : 20 MIN
CONGÉLATION : 30 MIN
CUISSON : 12 MIN

> 200 g de roquefort
> 200 g d'emmenthal
> 2 pâtes feuilletées prêtes à étaler
> 1 jaune d'œuf

1. Écrasez le roquefort à l'aide d'une fourchette, puis râpez l'emmenthal. Coupez les bords des pâtes feuilletées pour obtenir des carrés. Étalez le roquefort sur toute la surface d'une pâte, puis roulez-la en cylindre, en serrant bien. Parsemez la deuxième pâte d'emmenthal râpé, puis roulez-la en cylindre, en serrant bien. Mettez les deux cylindres au congélateur pendant 20 minutes.

2. Tapissez une plaque de cuisson de papier sulfurisé. Sortez les rouleaux du congélateur, puis coupez-les en tranches de 5 mm d'épaisseur. Disposez celles-ci sur la plaque de cuisson. Délayez le jaune d'œuf avec 1 cuillerée à café d'eau, puis badigeonnez-en les feuilletés. Placez-les de nouveau 10 minutes au congélateur.

3. Préchauffez le four à 200 °C (therm. 6-7). Enfournez les feuilletés pour 12 minutes, puis laissez refroidir quelques minutes avant de déguster.

Beaucoup de vert et de fraîcheur pour cette recette facile à préparer. Vous pouvez remplacer les épinards par des bettes.

Bouchées croustillantes aux épinards

POUR 12 BOUCHÉES

PRÉPARATION : 25 MIN

CUISSON : 15 MIN

> 50 g de beurre
> 6 feuilles de brik
> 1/2 oignon
> 400 g d'épinards
> 1/2 bouquet de menthe
> 20 g de parmesan
> 80 g de feta
> 1 œuf
> sel et poivre du moulin

1. Préchauffez le four à 180 °C (therm. 6). Dans une petite casserole, faites fondre 30 g de beurre. Badigeonnez-en les feuilles de brik, puis superposez celles-ci deux par deux. Découpez chaque feuilletage en 4 carrés de 6 cm de côté, puis garnissez-en 12 petits moules ronds et enfournez pour 5 minutes.

2. Épluchez et émincez l'oignon. Hachez grossièrement les épinards ainsi que la menthe avec un couteau. Râpez le parmesan et coupez la feta en morceaux. Dans une poêle, faites fondre le reste de beurre à feu doux, puis faites revenir les oignons 3 minutes. Ajoutez les épinards, la feta, la menthe et le parmesan, assaisonnez de sel et de poivre, puis mélangez le tout à l'aide d'une spatule. Dans un bol, battez l'œuf, incorporez-le à la préparation, puis poursuivez la cuisson 5 minutes.

3. Garnissez les fonds de brik de la farce aux épinards et servez.

Finalement, les gougères, ce n'est pas difficile à faire ! L'astuce consiste à ne pas ouvrir la porte du four pendant les 25 minutes de cuisson, pour éviter qu'elles ne s'effondrent !

Gougères

POUR 24 GOUGÈRES
PRÉPARATION : 15 MIN
CUISSON : 35 MIN

> 100 g de beurre salé
> 150 g de farine
> 4 œufs
> 150 g d'emmenthal

1. Préchauffez le four à 200 °C (therm. 6-7) et tapissez une plaque de cuisson de papier sulfurisé.

2. Dans une casserole, faites fondre le beurre salé à feu doux, puis ajoutez 25 cl d'eau et portez à ébullition. Retirez du feu, puis ajoutez la farine en une seule fois et mélangez vivement le tout à la spatule. Remettez la pâte à chauffer jusqu'à ce que celle-ci se détache des parois de la casserole.

3. Hors du feu, incorporez les œufs un par un à l'aide d'une spatule. Râpez l'emmenthal, puis mélangez-le soigneusement à la préparation.

4. À l'aide d'une cuillère à soupe, dressez des boules de pâte sur la plaque de cuisson, puis enfournez pour 25 minutes. Servez chaud.

Facile et amusante à réaliser, cette recette fera le bonheur des grands comme des petits !

Gressins maison en robe de jambon cru

POUR 24 GRESSINS
PRÉPARATION : 15 MIN
CONGÉLATION : 20 MIN
CUISSON : 20 MIN

> 100 g d'emmenthal
> 1 pâte feuilletée prête à étaler
> 3 cuill. à soupe de graines de cumin
> 3 cuill. à soupe de graines de sésame
> 1 jaune d'œuf
> 12 tranches très fines de jambon cru

1. Râpez l'emmenthal. Étalez la pâte feuilletée sur le plan de travail, coupez-la en 24 bandes de 1 cm de large, puis recoupez celles-ci en deux. Vrillez les bandes de pâte sur elles-mêmes – elles doivent mesurer environ 10 cm de long. Disposez-les sur une feuille de papier sulfurisé et saupoudrez-en un tiers de graines de cumin, un autre tiers de graines de sésame et le dernier tiers d'emmenthal râpé. Placez-les 20 minutes au congélateur.

2. Préchauffez le four à 200 °C (therm. 6-7). Disposez les rouleaux de pâte sur une plaque de cuisson, badigeonnez-les de jaune d'œuf battu, puis enfournez pour 20 minutes, jusqu'à ce que les gressins soient dorés. Laissez-les refroidir sur une grille, puis servez-les à température ambiante enveloppés de jambon cru.

Avec peu d'efforts, ces mini-hamburgers feront beaucoup d'effet ! Déclinez-les avec des légumes frais - tomates, salades, cornichons - mais aussi des tranches de jambon ou de coppa, par exemple.

Mini-hamburgers

POUR 12 MINI-HAMBURGERS

PRÉPARATION : 20 MIN

CUISSON : 10 MIN

> 6 pains à hamburger
> 6 steaks hachés
> 12 tranches de cheddar
> 2 oignons rouges
> 12 tranches de bacon
> sel et poivre du moulin

1. Préchauffez le gril du four. À l'aide d'un emporte-pièce, découpez deux disques dans chaque pain à hamburger. Partagez les steaks en deux, puis confectionnez des petits steaks de la taille des pains découpés. Coupez les tranches de cheddar en deux. Épluchez les oignons et coupez-les en très fines rondelles.

2. Placez les disques de pains 2 minutes sous le gril du four afin de les faire dorer. Dans une poêle antiadhésive, faites griller les tranches de bacon à feu vif pendant 5 minutes. Dans une autre poêle antiadhésive, faites cuire les steaks selon votre goût. Salez et poivrez.

3. Sur 12 disques de pain, superposez 1 morceau de cheddar, 1 tranche de bacon grillé, 1 petit steak, 1 autre morceau de cheddar, 1 rondelle d'oignon et les disques de pain restants, puis maintenez le tout avec des piques. Servez aussitôt ou réchauffez les mini-hamburgers rapidement au four avant de servir.

Un grand classique indémodable et très facile à réaliser !

Asperges roulées au bacon

POUR 12 ASPERGES
PRÉPARATION : 10 MIN
CUISSON : 10 MIN

> 12 asperges vertes
> 12 tranches de bacon
> 1 poignée de graines de sésame
> sel du moulin

1. Cassez les extrémités fibreuses des asperges. Portez une grande casserole d'eau salée à ébullition, puis plongez-y les asperges et laissez-les cuire pendant 5 minutes. Égouttez-les sur du papier absorbant et laissez refroidir.

2. Enroulez les tranches de bacon autour des asperges, puis faites-les revenir rapidement dans une poêle antiadhésive. Parsemez de graines de sésame et dégustez sans attendre.

Les dés de foie gras doivent être passés dans la chapelure au dernier moment si vous ne voulez pas que celle-ci perde de son croustillant.

Bouchées de foie gras en panure de pain d'épices

POUR 12 BOUCHÉES
PRÉPARATION : 10 MIN
CUISSON : 12 MIN

> 5 tranches de pain d'épices
> 1/2 cuill. à café de poivre du moulin
> 1/2 cuill. à café de quatre-épices
> 200 g de foie gras cuit (entier ou en bloc)

1. Préchauffez le four à 180 °C (therm. 6) et tapissez une plaque de cuisson de papier sulfurisé.

2. Coupez le pain d'épices en morceaux, puis mettez ceux-ci dans le bol d'un robot avec le poivre et le quatre-épices. Mixez le tout jusqu'à obtention d'une chapelure. Étalez-la sur la plaque de cuisson et enfournez pour 12 minutes. Laissez refroidir.

3. Coupez le foie gras en dés de 2 cm de côté, puis passez ceux-ci dans la chapelure en pressant bien pour la faire adhérer. Servez aussitôt.

Petites empanadas au bœuf

POUR 12 EMPANADAS

PRÉPARATION : 15 MIN

CUISSON : 35 MIN

> 2 pâtes brisées prêtes à étaler
> 1 œuf

Pour la farce

> 1 oignon rouge
> 2 cuill. à soupe d'huile d'olive
> 1 tomate
> 300 g de bœuf haché
> 10 cl de bouillon de légumes
> 1 cuill. à café de cumin en poudre
> 1 cuill. à café de piment en poudre
> sel et poivre du moulin

1. Préparez la farce. Épluchez et émincez finement l'oignon rouge. Dans une sauteuse, faites chauffer l'huile d'olive, puis faites revenir l'oignon. Détaillez grossièrement la tomate en dés, ajoutez ceux-ci dans la poêle avec la viande hachée, puis mélangez le tout. Versez le bouillon, le cumin et le piment, salez, poivrez, puis laissez cuire 15 minutes.

2. Préchauffez le four à 180 °C (therm. 6) et tapissez une plaque de cuisson de papier sulfurisé. À l'aide d'un emporte-pièce, découpez des disques de 8 cm de diamètre dans les pâtes brisées. Étalez 1 cuillerée à café bombée de farce sur la moitié de chaque disque de pâte, en ménageant un espace suffisant pour sceller les chaussons. Du bout des doigts, humidifiez légèrement le bord de la pâte avec de l'eau, puis repliez délicatement le bord opposé par-dessus, en appuyant un peu pour fermer chaque chausson. Disposez les empanadas sur la plaque de cuisson. Dans un bol, battez l'œuf, puis badigeonnez-en les empanadas et enfournez pour 15 minutes, jusqu'à ce que la pâte soit gonflée et dorée. Servez chaud ou froid.

Cuisses de caille et sauce satay

POUR 12 BOUCHÉES
PRÉPARATION : 10 MIN
CUISSON : 10 MIN

> 12 cuisses de caille
> 2 cuill. à soupe de sauce soja
> 2 cuill. à soupe d'huile de tournesol
> 1 cuill. à café de sucre en poudre

Pour la sauce

> 75 g de beurre de cacahuètes
> 10 cl de lait de coco
> 1 cuill. à café de cassonade
> 1 cuill. à soupe de sauce nuoc-mâm
> 1 cuill. à café d'huile de sésame
> 1/2 cuill. à café de piment en poudre

1. Dans un saladier, réunissez les cuisses de caille, la sauce soja, l'huile de tournesol et le sucre, puis mélangez bien le tout.

2. Préparez la sauce. Dans une casserole à feu doux, faites chauffer tous les ingrédients avec 10 cl d'eau pendant 5 minutes, sans cesser de remuer.

3. Dans une poêle antiadhésive, faites dorer les cuisses de caille 2 minutes sur chaque face, à feu moyen, puis servez accompagné de la sauce tiède.

Samoussas à l'agneau et aux légumes

POUR 16 SAMOUSSAS

PRÉPARATION : 15 MIN

CUISSON : 40 MIN

RÉFRIGÉRATION : 15 MIN

> 1/2 bouquet de coriandre
> 300 g de jardinière ou brunoise de légumes surgelés
> 1 oignon
> 3 cuill. à soupe d'huile de tournesol
> 150 g d'agneau haché (ou de bœuf)
> 2 cuill. à café de pâte de curry ou 1 cuill. à café de curry en poudre
> 4 pâtes brisées prêtes à étaler
> huile végétale pour la friture
> sel du moulin

1. Lavez, séchez et hachez la coriandre. Portez une casserole d'eau salée à ébullition, puis versez-y les légumes et laissez-les cuire 8 minutes. Égouttez-les.

2. Épluchez l'oignon, puis hachez-le. Dans une poêle, faites chauffer l'huile de tournesol. Mettez l'oignon et la viande hachée à dorer pendant 5 minutes. Ajoutez les légumes, la coriandre et le curry, puis salez, si nécessaire.

3. Coupez chaque pâte brisée en quatre, puis déposez une portion de garniture au centre de chacune. Humectez les bords de la pâte, repliez-la sur la garniture et scellez-la. Réservez pendant 15 minutes au réfrigérateur.

4. Emplissez une grande casserole à fond épais au tiers d'huile et faites chauffer à 180 °C. Faites frire les samoussas 6 minutes, jusqu'à ce qu'ils soient dorés et croustillants. Égouttez-les sur du papier absorbant et servez aussitôt accompagné d'un chutney de citron vert et de quartiers de citrons verts.

De la pomme de terre oui, mais plus habillée que d'ordinaire pour les jours de fêtes : sa petite robe violette en séduira plus d'un.

Rondelles de vitelottes à la brandade

POUR 12 RONDELLES
PRÉPARATION : 10 MIN
CUISSON : 20 MIN

> 4 pommes de terre vitelottes
> 50 g de brandade de Nîmes toute prête
> 1 cuill. à café de graines de sésame noir
> 1 petit bouquet de persil plat
> poivre du moulin

1. Portez une grande casserole d'eau salée à ébullition, puis faites cuire les pommes de terre pendant 20 minutes. Laissez refroidir.

2. Épluchez les pommes de terre, puis coupez-les en trois tronçons. Tartinez-les de brandade, puis parsemez le tout de graines de sésame noir et de feuilles de persil. Assaisonnez d'un tour de moulin à poivre et servez.

Que se cache-t-il sous le saumon ? Il n'y a qu'une façon de le savoir : goûter ! Vous pouvez remplacer le saké par du vin blanc.

Pannequets de saumon

POUR 12 PANNEQUETS
PRÉPARATION : 15 MIN
CUISSON : 15 MIN

- > 1 gros poireau
- > 10 g de beurre
- > 1 cuill. à soupe de saké
- > 1 cuill. à soupe de mirin (vin de riz japonais)
- > 1 cuill. à soupe de sauce soja
- > 6 tranches de saumon fumé
- > 12 brins de ciboulette ou d'aneth

1. Lavez et coupez le poireau en rondelles. Dans une poêle, faites fondre le beurre à feu doux et faites revenir le poireau 5 minutes. Dans un bol, mélangez le saké avec le mirin et la sauce soja, puis versez le tout dans la poêle avec le poireau. Couvrez, prolongez la cuisson de 10 minutes, puis laissez tiédir.

2. Découpez les tranches de saumon fumé en carrés, puis déposez 1 cuillerée à soupe de fondue de poireau au centre de chacun. Repliez les bords de manière à former un paquet, nouez celui-ci avec un brin de ciboulette ou d'aneth, puis servez.

Makis à l'anguille fumée

POUR 12 MAKIS
PRÉPARATION : 20 MIN
ÉGOUTTAGE : 1 H
CUISSON : 20 À 25 MIN

> 220 g de riz japonais
> 1/2 avocat
> le jus de 1 citron
> 1/2 mangue
> 100 g d'anguille fumée ou de dorade
> 2 feuilles d'algue nori

1. Rincez le riz dans une passoire, sous l'eau courante, jusqu'à ce que le liquide qui s'écoule soit limpide, puis laissez-le égoutter pendant 1 heure.

2. Versez le riz dans une casserole avec 30 cl d'eau. Couvrez, portez à ébullition, puis baissez le feu et laissez cuire de 15 à 20 minutes. Retirez la casserole du feu, remplacez le couvercle par un torchon, puis laissez reposer pendant 10 minutes.

3. Détaillez la chair d'avocat en fines lamelles, puis arrosez celles-ci du jus de citron. Coupez la chair de la mangue et l'anguille en fines lanières.

4. Étalez une feuille de nori sur une natte, face brillante en dessous. Étalez la moitié du riz dessus, en ménageant un espace de 2 cm en haut de la feuille, puis garnissez de la moitié de l'avocat, de la moitié de la mangue et de la moitié de l'anguille. Roulez la feuille de nori, en partant du bas de la feuille et en vous aidant de la natte. Renouvelez l'opération avec le reste des ingrédients pour obtenir un deuxième rouleau. Coupez les rouleaux en 6 rondelles chacun, puis servez accompagné de sauce soja.

Bouchées de thon en tempura

POUR 12 BOUCHÉES
PRÉPARATION : 15 MIN
CUISSON : 10 MIN

> 1 pavé de thon de 300 g
> 2 feuilles d'algue nori
> huile pour la friture
> 3 cuill. à soupe de farine
> 3 cuill. à soupe de fécule de maïs
> 12 cl d'eau glacée
> graines de sésame grillées

Pour la sauce

> 2 cuill. à soupe de mayonnaise
> 1 cuill. à soupe de sauce soja
> 1 cuill. à café d'huile de sésame

1. Préparez la sauce. Dans un saladier, mélangez la mayonnaise avec la sauce soja et l'huile de sésame.

2. Coupez le thon en deux bandes égales. Enveloppez chacune d'elles d'une feuille de nori préalablement humidifiée.

3. Emplissez une grande casserole à fond épais au tiers d'huile et faites chauffer à 180 °C. Dans un saladier, mélangez la farine et la fécule de maïs, puis creusez un puits au centre. Versez l'eau glacée, puis fouettez le tout, jusqu'à obtention d'une pâte liquide. Passez les rouleaux de thon dans la préparation, puis plongez-les dans l'huile en les retournant avec des pinces. Retirez les rouleaux dès qu'une coque se forme, puis égouttez-les sur du papier absorbant. Découpez-les en tranches d'environ 6 mm d'épaisseur, parsemez-les de graines de sésame, puis servez accompagné de la sauce.

Le sésame a plus de goût s'il est doré : vous pouvez le poêler à sec pendant quelques minutes, avant de déguster vos beignets.

Beignets de crevettes

POUR 12 BEIGNETS
PRÉPARATION : 20 MIN
CUISSON : 10 MIN

> 12 grosses crevettes crues
> 125 g de farine
> 1 œuf
> 1 cuill. à café de sel fin
> 1/2 l d'huile d'arachide pour la friture

Pour la sauce

> 10 cl de sauce soja
> 2 cuill. à soupe de graines de sésame
> quelques feuilles de coriandre fraîche

1. Détachez la tête des crevettes et décortiquez-les, en laissant l'extrémité de la queue intacte, puis incisez légèrement le dos et retirez la veine noire. Séchez-les avec du papier absorbant.

2. Dans un saladier, versez la farine et incorporez progressivement 10 cl d'eau froide au fouet, jusqu'à obtention d'une pâte liquide. Dans un bol, battez l'œuf, puis incorporez-le à la pâte. Ajoutez le sel.

3. Préparez la sauce. Dans un bol, mélangez la sauce soja avec les graines de sésame et les feuilles de coriandre.

4. Dans une grande casserole à fond épais, faites chauffer l'huile à 180 °C. Plongez les crevettes dans la pâte, puis jetez-les dans l'huile chaude. Laissez-les cuire jusqu'à ce que la pâte soit dorée, puis égouttez-les sur un papier absorbant. Dégustez aussitôt avec la sauce au soja.

Ces beignets se mangent dans la rue au Japon. Vous pouvez varier les légumes : jeunes oignons, pousses d'épinards, courgettes... ou les mélanger avec de toutes petites crevettes.

Tempura de crabe et de légumes

POUR 12 GALETTES
PRÉPARATION : 15 MIN
CUISSON : 10 MIN

- > 1 feuille d'algue nori
- > 1 carotte
- > 1 blanc de poireau
- > 150 g de chair de crabe en conserve égouttée ou de bâtonnets de surimi
- > 3 cuill. à soupe de farine
- > 4 cuill. à soupe d'eau glacée
- > huile végétale pour la friture
- > un peu de sauce soja japonaise
- > sel du moulin

1. Coupez la feuille de nori en lamelles avec des ciseaux. Lavez les légumes. Épluchez la carotte et détaillez-la en rubans à l'aide d'un couteau Économe. Coupez le poireau en deux, puis émincez-le dans la longueur. Si vous utilisez du surimi, effilochez les bâtonnets.

2. Dans un saladier, rassemblez les légumes, les lamelles de nori, le crabe ou le surimi et la farine. Salez, puis mélangez le tout soigneusement. Versez l'eau glacée, puis formez des galettes de légumes et de crabe enchevêtrés.

3. Emplissez une grande casserole à fond épais au tiers d'huile et faites chauffer à 180 °C. Faites frire les galettes 3 minutes, jusqu'à ce qu'elles soient dorées. Égouttez-les sur du papier absorbant et servez-les avec de la sauce soja.

Direction éditoriale : Véronique de Finance-Cordonnier
Édition : Marion Pipart
Direction artistique : Emmanuel Chaspoul
Réalisation : Belle Page, Boulogne
Couverture : Véronique Laporte
Fabrication : Annie Botrel

Crédits photographiques : p. 22, 23, 25, 40, 41, 44, 45, 47, 54, 55, 58, 59 : Fabrice Besse © coll. Larousse (Stylisme : Noëmie André) ; p. 29, 33-35, 57 : Caroline Faccioli © coll. Larousse (Stylisme : Sabine Paris) ; p. 5, 7, 11, 13-15, 27, 37, 43 : Marie-José Jarry © coll. Larousse (Stylisme : Bérengère Abraham) ; p. 8, 9, 19, 21, 39 : Massimo Pessina © coll. Larousse (Stylisme : Rosalba de Magistris) ; p. 17, 31, 48, 49, 51, 53 : Amélie Roche © coll. Larousse (Stylisme : Manuella Chantepie).

L'éditeur remercie pour le prêt de linge et d'objets : ASA (www.asa-selection.com), Coming B (wwwcomingb.fr), Fleux, 39 et 52 rue sainte Croix de la Bretonnerie 75004 Paris (01 42 78 27 20), Léonardo (www.leonardo.de), Montgolfier (wwwmontgolfier.fr), Linge au Cœur (www.lingeaucoeur.com), Ressources (www.ressources-peinture.com), Emery (www.emeryetcie.com), Villa Paris (01 42 74 07 05), La Cabane de l'Ourse (www.lacabanedelourse.com), La Forge Subtile, 11 rue de l'odéon 75006 Paris (01 40 51 09 30), Mis en Demeure (www.misendemeure.com), La Maison des Rêves (www.maisondesreves.com), La Compagnie Française d'Orient et de Chine (www.cfoc.fr), Jeannine Cros (01 45 48 00 67), Clotilde Buschini (01 45 44 30 11), Caravane (www.caravane.fr), Wooden (www.woodenlist.com) et Mme Mylène Demongeot pour le prêt de la brocante (www.mylene-demongeot.fr).
Et l'éditeur remercie tout particulièrement Véronique Jean pour sa participation efficace.

ISBN : 301-0-00-000282-6

Pour les Éditions Larousse, le principe est d'utiliser des papiers composés de fibres naturelles, renouvelables, recyclables et fabriqués à partir de bois issus de forêts qui adoptent un système d'aménagement durable. En outre, les Éditions Larousse attendent de leurs fournisseurs de papier qu'ils s'inscrivent dans une démarche de certification environnementale reconnue.

Photogravure Turquoise, Émerainville
Imprimé en Chine par Leo Paper Products
Dépôt légal : septembre 2010
304 610/01-11011874-avril 2010